W9-ARP-269

Francis Cabrel

Hors-Saison

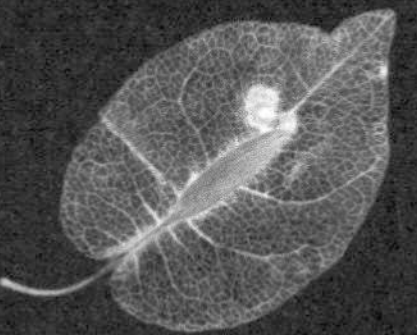

Le monde est sourd

Pendant qu'on se promène
L'enfant pour cinq francs la semaine
Vient broder des survêts
Pour l'homme blanc qui golfe en voiturette
Sale temps sur la planète
Oh le drôle, le drôle de temps
Porter secours c'est défendu
Le monde autour est sourd, bien entendu

Chercheur contre nature
Truqueur, sur l'honneur qui jure
Faut pas que ça vous inquiète
J'ai bien connu l'animal mort dans votre assiette
Sale temps sur la planète
Oh le drôle, le drôle de temps
Porter secours c'est défendu
Le monde autour est sourd, bien entendu

Tricheur à la tribune
Menteur amassant la fortune
Grimpeur dans la tempête
Rien que des doses d'eau claire

3

1316 INTRO
HORS-SAISON
64=b
1323
1352
1422

au fond de la musette
Sale temps sur la planète
oh le drôle, le drôle de temps
Pas de témoin une fois de plus
Le monde autour est sourd, bien entendu

Cendrillon tombée d'un coin du Sahel
perdue
Sur un bout de papier me lance un appel
et dessus
elle dit "c'est où exactement
c'est où exactement la Tour de Babel"

4

Monsieur sort de l'église
Heureux que les hommes fraternisent
Son fils qui lui fait la tête
et lui qui court acheter
le fusil et les fléchettes
Sale temps sur la planète
oh le drôle, le drôle de temps
Porter secours c'est défendu
Le monde autour est sourd, bien entendu

5

Pendant qu'on se promène
l'enfant pour 5 francs la semaine
Chercheur contre nature
Bien caché derrière sa devanture
Tricheur à la tribune
et nous, tous les applaudir
comme la lune
comme la lune...

Cent ans de plus

Cent ans dans la peau de l'esclave
et juste après cent ans de plus
chercher des miettes sous les tables
avant que les blancs ne marchent dessus
dormir sur des paquets de planches
chanter seulement le dimanche
Tu vois la femme noire
dans le rôle de la bonne
avec tout à côté
tout tordu son bonhomme
après ça faut pas que tu t'étonnes
c'est eux qui ont fait
eux qui ont fait
Son House et Charlie Patton
Howlin' Wolf et Blind Lemon.

Bien rouge le sang de l'Afrique
sur la jolie fleur ~~du~~ coton
la toute nouvelle Amérique
la belle démocratie "welcome"
Bateaux déportant les villages
Au bout de l'immense voyage
gravé dans la mémoire
Pour des années-lumière
chaque larme d'ivoire
chaque collier de fer
Après ça faut pas que tu t'étonnes

c'est Eux qui ont fait
Eux qui ont fait
Son House et Charlie Patton
Howlin' wolf et Blind Lemon

Toujours plaire aux marchands de fantômes
Elle qui on achète et lui que l'on donne
Naître avec la peine maximum
Toujours vivant dans ce que nous sommes
Peuple interdit du reste des hommes
Cherchant le bleu de l'ancien royaume
Eux qui ont fait faut pas que ça s'étonne

Son House et Charlie Patton
Blind Blake et Willie Dixon
Ma Rainey et Robert Johnson
Howlin' Wolf et Blind Lemon ...
Son House et Charlie Patton

Voix africaine : Lokua Kanza

Presque rien

Et voila tout ce que je sais faire
du vent dans des coffres en bambou
des pans de ciel pour mettre à tes paupières
et d'autres pour pendre à ton cou

C'est rien que du ciel ordinaire
du bleu comme on en voit partout
mais j'y ai mis tout mon savoir-faire
et toute notre histoire en-dessous

10 Tu vois, c'est presque rien
c'est tellement peu
c'est comme du verre, c'est à peine mieux
tu vois c'est presque rien ...
c'est comme un rêve, comme un jeu
des pensées prises dans des perles d'eau claire

Je t'envoie des journées entières
des chats posés sur tes genoux
des murs couverts de fleurs que tu préfères
et de la lumière surtout
Rien que des musiques légères
Une source entre deux cailloux
du linge blanc sur tes années de guerre
c'est tout ce que je sais faire c'est tout ...

Tu vois c'est presque rien ...
c'est tellement peu
c'est comme du verre, c'est à peine mieux
tu vois c'est presque rien ...
Comme un rêve, comme un jeu
des pensées prises dans des perles d'eau claire

Doo doo doo doo doo ...

le reste du temps

Et si on dormait sous les arbres
le reste du temps
Deux amants posés sur des hardes
Deux débutants
En dessous des cieux qui se regardent
Juste en faire autant...

Mieux que tous les palais de marbre
L'or des sultans
Quelques branchages qui nous gardent
des mauvais vents
Je ferai tout ce qu'il te tarde
L'homme ou l'enfant

12

Dans nos jardins dérangés
Tellement de fleurs allongées, tellement
Sous la lumière orangée
~~Seulement~~ longtemps nos corps mélangés, ~~seulement~~ longtemps

F. CABREL - Reel
COPY DASH
A1 → original TC
Tape
START
END
CTL OFFSET
1 0'10 1'00 0'00
1. Le Monde 1 2'00 7'20 0'00
2. 100 ANS 12'25 0'00
3. Le Reste 2 13'00 16'40 -4'10
2 17'00 22'30 1'40
2 23'00 27'20 30'50
2 27'50 32'00
38'00 -6'00
Presque rien 3 17'40
7. Hellnep 3 35'00 45'35 -23'10
8. Debbie 4 46'00 51'45 -6'15
9. Depuis toujours 4 52'00 58'05
10. Loin 5 59'00 1h05'00 -58'00
hop, du bleu!

Rien qui mérite qu'on en parle
Rien d'inquiétant
Un miroir pour que tu te fardes
Je t'aime pourtant
Plus personne ne nous regarde
ni ne nous entend ...

(Solo)

Dans nos jardins dérangés
Tellement de fleurs allongées, tellement
Sous la lumière orangée
Longtemps nos corps mélangés, longtemps

Pendant que le monde bavarde
à rien d'important
On pourrait dormir sous les arbres
le reste du temps ...

Rien de nouveau

Elle passe
Sans le regarder, elle passe
~~et~~ lui, ça lui glace le dos
elle est exactement tout ce qu'il lui faut...
il lui faut

Elle laisse
Sans même y penser elle laisse
Traîner comme un lasso
quelques parfums où il vient se ~~perdre~~ prendre ~~aussitôt~~
Aussitôt
Il bloque
les yeux comme des hublots
et le coeur au-delà du tempo

Il fonce
Il part droit sur elle il fonce
Comme un lanceur de marteaux
Après il jongle avec des cercles et des flambeaux.
des flambeaux
Il parle
Jusqu'à l'asphyxier
il parle comme Gable à Garbo
Il prend des poses
Comme les danseurs de tango ... de tango

Il bloque
Les yeux comme des hublots
en fait ... en fait il en fait trop !

Y'a soixante-cinq millions d'années
par un soleil comme aujourd'hui
Un de nos grands-parents faisait
Le beau pour sa nouvelle amie

et lui il reste
il reste comme collé au carreau
il dit qu'il l'aime en somme
et c'est rien de nouveau ... rien de nouveau

Solo

les yeux comme des hublots
et le coeur au-delà du tempo

y'a soixante-cinq millions d'années
par un soleil comme aujourd'hui
Un de nos grands-parents faisait
Le beau pour sa nouvelle amie

~~et lui~~ il reste
il reste comme collé au carreau
il dit qu'il l'aime en somme
et c'est rien de nouveau ... rien de nouveau

Loin devant

Loin devant
l'horizon encombré
Fais-moi loin devant
Une maison posée
J'entends
Le monde chanter
Sous les arbres penchés
Devant

Il descend
des lumières dorées
dessine-nous dedans
dans des habits légers
J'entends
les colombes jouer
La paix est bien cachée
dedans

Simplement
après tant et tant de brume
on aura les yeux qui s'allument vraiment...
vraiment
forcément
Sous de vrais croissants de lune
les enfants pourront rêver autrement...
autrement

Loin devant (2)

Loin devant
l'horizon ~~dentelé~~ encombré
fais moi loin devant
un chemin, un sentier
un ruban
des tables chargées de pain blanc.

Solo

Simplement
après tant et tant de brume
on aura les yeux qui s'allument vraiment...
vraiment

Forcément
comme on n'aura plus de larmes
on verra enfin le monde autrement...
autrement

loin devant
l'horizon encombré
fais-moi loin devant
une maison posée
je l'entends !...

aux paysages algériens.

Depuis toujours

Je t'aime depuis toujours
et je viens seulement te dire
Je t'aime pour longtemps encore

Tes mots de velours
Ta peau jusqu'à en éblouir
mes yeux de chercheur d'or

Toutes ces nuits d'hiver
Ces longues, longues journées de pluie
j'en entends parler chez les autres
Moi, quel que soit le ciel
T'es mon éternelle éclaircie depuis toujours
et je viens seulement te dire
pour longtemps encore

Le monde autour
n'est rien qu'un brumeux souvenir
rien qu'un lointain décor

Comme sur ces horloges
Les mêmes aiguilles, jour et nuit
s'en retournent l'une vers l'autre
Moi comme tu vois
je retourne vers celle que j'aime depuis toujours
pour seulement lui dire
pour longtemps encore

Depuis toujours (2)

Même au bout du monde
c'est le même ciel, le même lit
la même chaleur qui m'entoure
les mêmes parfums
ceux qui enveloppent mes nuits depuis toujours
et je viens seulement te dire
pour longtemps encore
je retourne vers celle que j'aime
depuis toujours
oh je retourne vers celle que j'aime
depuis toujours...
depuis toujours

Comme eux

Il rêvait de noircir des pages
d'écrire des choses nouvelles
elle, aurait peint des paysages
et joué du violoncelle
A s'aimer toujours davantage
ils ont trouvé naturel
elle, le cambouis des garages
lui, les produits de vaisselle.

Elle posait ses doigts sur la carte
toujours du côté chaleur
De temps en temps faudra qu'on parte
S'embrasser ailleurs
Elle ne voit pas le temps qui passe
Ils prennent tellement à cœur
Ces fins de semaine sur place
autour d'un bouquet de fleurs ...

Jamais de cris, de problèmes
Tout le monde peut voir comme ils s'aiment
Ni double fond, ni double jeu
Rien que de la lisse surface
que du collant double face
fasse le ciel qu'on soit comme eux
comme eux

comme eux (2)

Ils rêvent d'une chambre tranquille
de quelques jouets au milieu
qu'importe l'endroit ou le style
le centre-ville ou la banlieue
De temps en temps faudra qu'on parte
Un jour, il écrira un peu
Elle sait où elle a rangé la carte
pour les jours où ça ira mieux

Jamais de cris de problèmes
Tout le monde peut voir comme ils s'aiment
Ni double fond, ni double jeu ...
Rien que de la lisse surface
que du collant double face
fasse le ciel qu'on soit comme eux
comme eux

Hellnep Avenue

Comme j'arrivais la tête en vrac
entre ma guitare et mon sac
j'entends, malheureux ne bougez plus
ne bougez plus
Le prochain pas que vous allez faire
peut vous mener droit en enfer
personne ne vous a prévenu
Vous êtes sur Hellnep Avenue

Boulevard des papiers qui s'envolent
le vent y descend droit du pôle
Ça fait des chansons de travers, de travers
Chanteurs aux épaules tombantes
Pris dans les fougères grimpantes
Encore une averse de plus
Sur la Hellnep Avenue

Quelques mesures de silence
à l'heure où l'autobus s'avance
aucune fille n'en descend, et le blues reprend
On peut voir se creuser les rides
de ceux qui attendent dans le vide
il n'y a pas de ciel par-dessus
La Hellnep Avenue

PREFECTURE
TIMBRE
FISCAL

Personne ne vous a prévenu
A cette heure-ci elle viendra plus
Il n'y a pas de ciel par-dessus
la Hellnep Avenue

Avenue du blues, boulevard de personne
On y a vu traîner Robert Jonhson
Jusqu'au matin grattant la misère, la misère
Il reste un carré de pelouse
où quelques silhouettes jalouses
Viennent pour fleurir la statue
Vous êtes sur Hellnep Avenue

32 Tendresse pendue aux pupitres
rue des fenêtres sans vitres
Combien d'amoureux étendus, étendus
On y a tous chanté une fois
depuis on a tous la même voix
Une fois et puis t'oublies plus
La Hellnep Avenue ...

Combien d'amoureux étendus
Tellement, tellement de silhouettes perdues
Encore une averse de plus sur la 4. Avenue
Personne ne vous a prévenu
A cette heure-ci elle viendra plus
Il n'y a pas de ciel par-dessus la 4. Avenue...

Basse Jannick TOP

HORS-SAISON

C'est le silence
qui se remarque le plus
Les volets roulants tous descendus
De l'herbe ancienne
dans les bacs à fleurs
Sur les balcons
On doit être hors-saison

La mer quand même
dans ses rouleaux continue
Son même thème
Sa chanson vide et têtue.
Pour quelques ombres perdues
sous des capuchons
On doit être hors-saison

Le vent transperce
ces trop longues avenues
Quelqu'un cherche une adresse inconnue
et le courrier déborde
au seuil des pavillons
On doit être hors-saison

Une ville se fâne
dans les brouillards salés
la colère océane est trop près
les tourments la condamnent
aux [illegible]
Personne ne s'éloigne du quai

RIEN DE NOUVEAU
CHANT
Verse 1
Verse 2
Verse 3
Il Parle
Verse 4
REF I
Il reste
Verse 5

Une ville se fâne
dans les brouillards salés
La colère océane
est trop près

les tourments la condamnent
aux écrans de fumée
Personne ne s'éloigne du quai

On pourrait tout prendre
les murs, les jardins, les rues
On pourrait mettre
aux boîtes aux lettres nos prénoms dessus
ou bien peut-être un jour
les gens reviendront
On doit être hors-saison.

La mer quand même
dans ses rouleaux continue
Son même thème
Sa chanson vide "où es-tu ?"
Tout mon courrier déborde
au seuil de ton pavillon
On doit être hors-saison ...

Une ville se fâne
dans les brouillards salés
la colère océane est trop près
les tourments la condamnent
aux écrans de fumée
Personne ne s'éloigne du quai

piano : F. Cabrel

La belle Debbie

La belle Debbie, debout d'un bond
au tout début me bouda
Puis elle trouva de bon ton
que je lui dise vous comme à une diva
J'ôtais ses beaux boutons d'habits
Je mis un vieux CD d'ABBA
Alors, alors elle s'enhardit
et Dieu soit loué s'amadoua

Elle voulut deux doigts de Bourbon
"Merci ça finit mal quand je bois"
Je me mis à faire le gibbon
elle se tordait comme le boa
Je lui récitais ma leçon
doux comme un ourson venu pour ça
puis-je votre peau de bonbon
l'effleurer comme une tumba?

et j'ajoute pour être tout à fait juste
les miroirs où elle se projette
ces rires auxquels elle est sujette
et ses jolies mains qui s'agitent
oh j'ajoute ...

La belle Debbie (2)

Je lui récitais du Rimbaud
elle disait peut-on tomber plus bas
Elle borda ses yeux de charbon
pour me tendre un bâton de Cuba

Les liqueurs, nous les avons bues
quand il n'est plus resté de tabac
Elle m'avoua, je crois
Désirez-vous que l'on se revoie ?

et j'ajoute pour être tout à fait juste
ces miroirs où elle se projette
ces rires auxquels elle est sujette
et ses jolies mains qui s'agitent

et j'ajoute pour être tout à fait juste
ces moments salés où elle me laissa
ces secrets qu'elle me consacra
ces formes où je m'étais ancré
ces cris ...
quand son mari entra

Madame X

Madame X et ses enfants
Tout l'hiver sans chauffage
Caravane pour des gens
Même pas du voyage
Et pourtant comme elle dit
C'est pas elle la plus mal lotie
Elle en connaît qui couchent dehors
dans les parages
Quand y'a toutes ces ~~b~~ voitures de sport
dans les garages

Madame à savoir comment
fait deux fois plus que son âge
Elle s'endort avec des gants
au fond d'un sac de couchage
Et pourtant comme elle dit
C'est pas elle la plus mal lotie
Elle en connaît qui restent
accrochés aux grillages
En espérant qu'un camion
manque le visage

C'était un pays charmant
c'était un pays comme il faut
Elle dit, elle dit maintenant
maintenant on prend
quelques photos des mourants
au lieu de leur donner de l'eau
Elle dit pas ça méchamment
pour l'instant, ..

Madame K. et ses enfants
toujours pas de chauffage.

Enregistré et mixé par James Farber
au studio Plus XXX Paris

Premier assistant : Yann Arnaud

Enregistrements additionnels : Ludovic LANEN
ainsi que Yann Arnaud, Sebastien Bramardi
et Christophe MARAIS (Artistic Palace)

Autres assistants : Catherine Juste
Antoine Jacquot, Sebastien Gizard
Ilan Masliah et Grâce Brown

Merci à Lydie Emeriau et Otama Rider
(catering)

Mastering : Alcyon Musique

Production exécutive : Fabienne Jacquet

Basse : Bernard Paganotti
Batterie : Manu Katché
Claviers : Gérard Bikialo
Guitares : Denys Lable et Francis CABREL
Percussions : Denis Benarrosh
Choeurs : Ann Calvert, Debbie Davis
Roger Secco, Angie Cazeaux-Berthias
Accordéon : Jean-Louis Roques

Arrangements des cordes et cuivres
Bertrand Lajudie (Dir. orchestre R. Dupré)

Réalisation musicale
Gérard Bikialo

Conception pochette : Maxime Ruiz et François Sargologo
pour Théorem assistés par Céline Poupart

Photos : Maxime Ruiz, avec l'aide de Bruno Roche, Juan Uzzuzola
Claude Gassian, Benoît Cotte
Carole Bursan et Roby Breidi.

équilibre couleurs couverture : color 4

Coordination : Véronique Gautier-Théorem

1 le monde est rond
cent ans de plus
Presque rien
le reste du temps
5 Rien de nouveau
Loin devant

* Depuis toujours
Comme eux
Yellhep Avenue
10 Hors saison.
La belle Debbie
Madame X

48

Paroles et musiques Francis CABREL
sauf "Depuis toujours"
I've been lovin' you too long
(Otis Redding / Jerry Butler)
adapt. française F. Cabrel.
Lokua Kanza : avec l'aimable
autorisation de B.M.G. France

Editions : Chandelle Productions sauf (*) © 1965, Renewed 1993, Irving Music, Inc.
avec l'aimable autorisation des Editions Essex.
Imprimé par PPO Graphic et relié par Ouest Reliure